à Romeo et Emilia
et pour leur fidélité
Bernadette (costumes)
Corinne, Sylvie et Yves (scénario)
Vincent (images)

Lettrage Corinne Chalmeau
© 2004, l'école des loisirs, Paris
Loi numéro 49 956 du 16 juillet 1949 sur les publications
destinées à la jeunesse : mars 2004
Dépôt légal : février 2006
Imprimé en France par Pollina Imprimeur à Luçon - n° L98497

Pascale Bougeault

Chacun dans son lit !

l'école des loisirs
11, rue de Sèvres, Paris 6ᵉ

Louis ne veut pas dormir dans son lit.

Louis préfère dormir
entre papa et maman.
C'est plus doux.

C'est chaud

et rigolo.

C'est bien plus grand,

et les rêves de Louis sont plus beaux.

ron pich ron pich...

Mais un soir :
« Louis ! Ça suffit !
Papa et maman
sont fatigués. »

« Juste une dernière nuit ! » promet Louis.
« NON, c'est NON ! Chacun dans son lit.
Maintenant tu es grand ! » répondent les parents.

Grand ? Pas encore vraiment !

Car Louis, pour être grand,
a besoin de quelque chose...

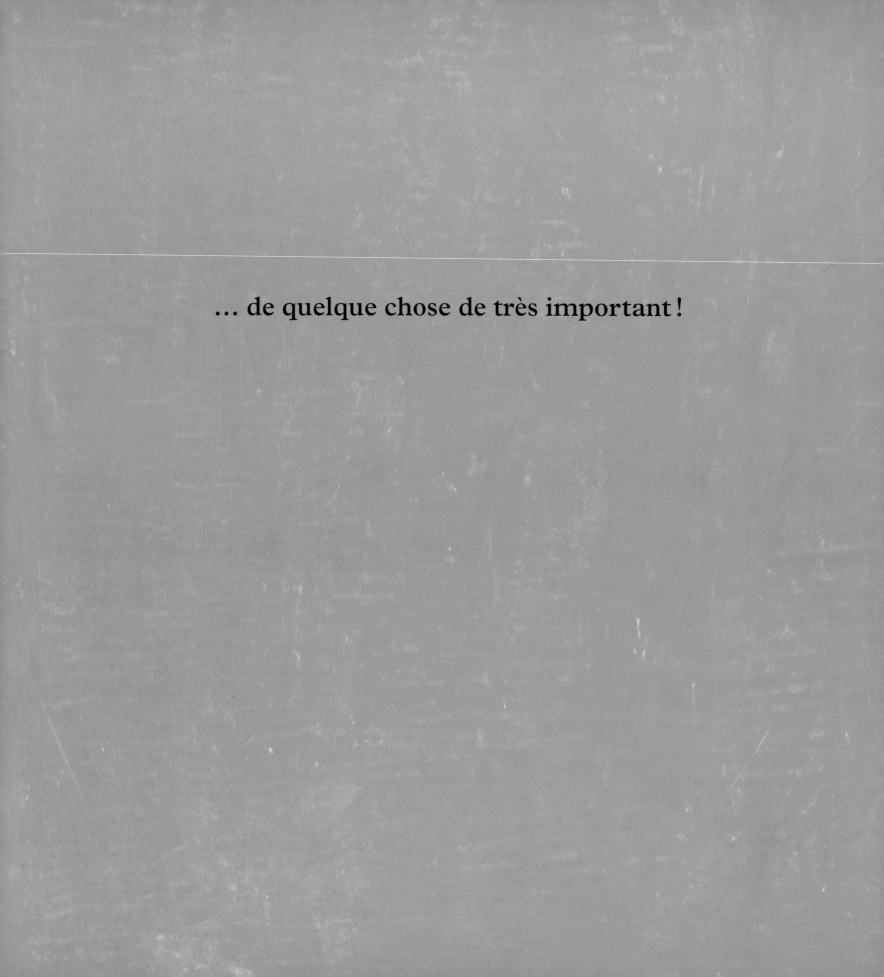

… de quelque chose de très important !

« MAMAN ! MAMAN ! Un chevalier dans la nuit ! »

« À l'aide ! » crie maman.
« Un chevalier ! Je rêve ! » s'étonne papa.

Non, papa ne rêve pas !
Un chevalier nommé Louis…

... exige un dernier câlin pour être fort.

Fort comme les chevaliers qui,
une fois grands,
ne dorment plus entre papa et maman.